我家的虫痕地图

杂木林

杂木林里的树木有：麻栎、椿叶花椒、野梧桐、楝树、野漆等。
树木下生长的杂草有：青苦竹、川竹、人面竹、牛叠肚等。

家

停车场

仓库

简易车库

自然侦探团
ZIRAN ZHENTANTUAN

虫子的痕迹
虫のしわざ探偵団

目录

[日]新开孝/著 光合作用/译 博得自然/审订

CTS|K 湖南科学技术出版社

团长给大家的致辞

在树林和草地等大自然环境中，你是否遇到过会让你想问"这是什么"的奇怪现象？

其中多数是昆虫留下的痕迹，比如粪便和啃食的痕迹、巢（住的地方）等，各种各样的都有。

只要留意，到处都能发现虫子的痕迹（我们把它们简称为"虫痕"），但有很多虫痕的主人不知道是谁。

在这本书中，大家将变身为"虫痕侦探团"的团员，一起来寻找虫痕和它们的主人吧。

掉落在树桩上的粪便

通过观察虫痕出现的地点、颜色、形状和新鲜度等，可以知道留下某些虫痕的昆虫是什么。

形状奇特的虫痕是如何形成的呢？你一定想知道昆虫的真面目，而且还想知道它们的生活习性吧。

即使是你很熟悉的昆虫，也有可能不知道这种虫子会留下怎样的痕迹。

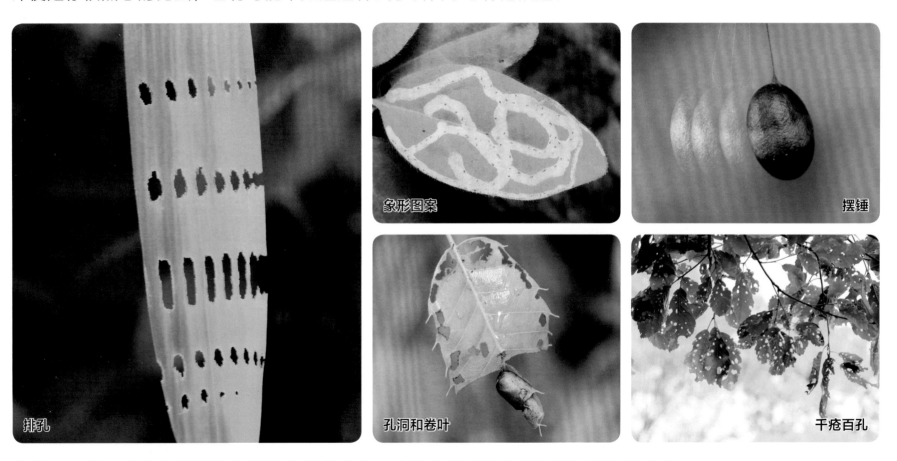

排孔

象形图案

摆锤

孔洞和卷叶

千疮百孔

在山野、公园或庭院等地边走边注意观察虫痕，应该会发现比你想象的还要多的虫痕。

试着把寻找虫痕当成快乐的侦探活动吧。

虫痕一定会向你述说虫子们精湛的本领以及不可思议的奇特习性。

葛的叶片上有三处虫痕！

葛是"秋之七草"之一，属于蔓生植物。

虽然要到 8 月才会开出紫红色的花，但它的大叶片在 5 月左右就开始引人注目了。

用手把叶片拉到眼前，仔细观察一下吧。

虫痕①　叶片的边缘有被啃食的痕迹。

有些啃食的痕迹像河流一样，从叶片的边缘不断向叶片中央延伸（4 月末~10 月）。

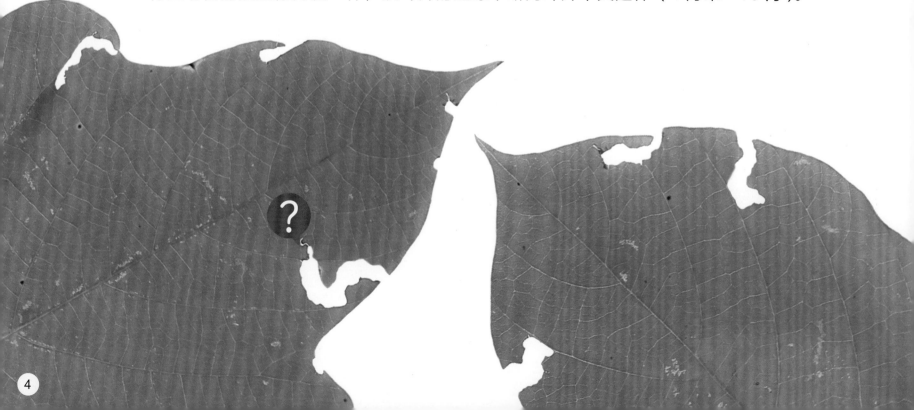

虫痕②

叶尖被啃掉了很大一块，
并且那里有用丝悬挂着的枯叶，
就像帘子一样（6~10 月）。

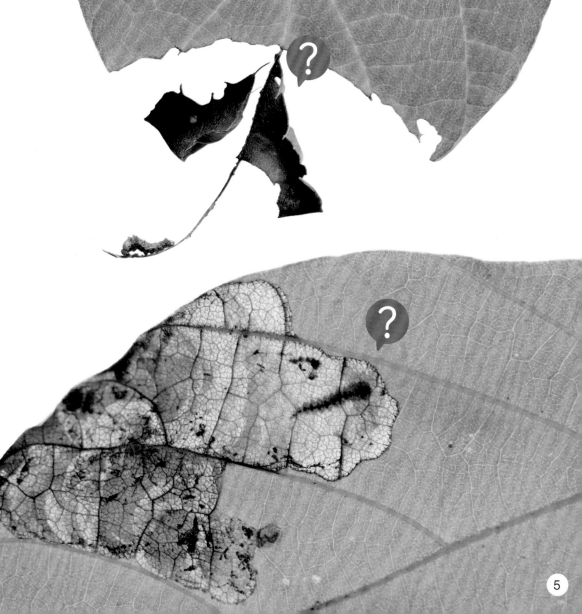

虫痕③

对着阳光，凑近叶片的背面观察；
叶片的边缘有一部分变薄且呈褐色，
叶片没有枯萎（6~8 月）。

葛叶上虫痕的主人是谁？

虫痕①的主人

不要触碰叶片，悄悄地观察葛藤丛。

有时在叶片的边缘，有时在叶片的中央，你会找到正在啃食的樟矮吉丁虫。

因为体长只有 4 毫米，差不多一粒芝麻那么大，所以一不留神会误以为这是什么虫子的粪便。

注意相似的虫痕！

粉吹象甲的啃食痕迹，
和樟矮吉丁虫的虫痕一模一样。

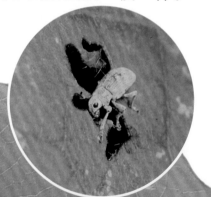

仔细看还挺漂亮的
樟矮吉丁虫

正在啃叶片的粉吹象甲

啃食的痕迹与成虫

摇晃叶片的话，它会缩起腿装死。

虫痕②的主人

"帘子"是小环蛱蝶的幼虫啃下叶片后，
吐丝"缝制"而成的藏身之处。
幼虫只会在"帘子"上休息，
而选择在别的地方吃叶片。

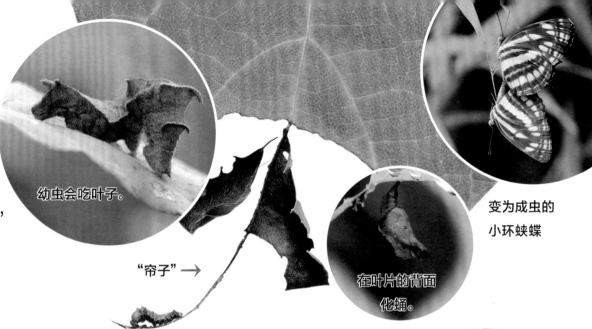

幼虫会吃叶子。

"帘子"→

在叶片的背面化蛹。

变为成虫的
小环蛱蝶

虫痕③的主人

对着阳光看，
可以在里面找到葛矮吉丁虫
幼虫的轮廓。
黑色的点状物是幼虫的粪便。

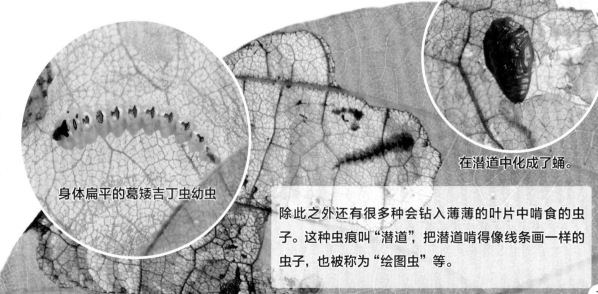

身体扁平的葛矮吉丁虫幼虫

在潜道中化成了蛹。

除此之外还有很多种会钻入薄薄的叶片中啃食的虫子。这种虫痕叫"潜道"，把潜道啃得像线条画一样的虫子，也被称为"绘图虫"等。

在牵牛的叶片上发现虫痕！

种在花园里的牵牛，叶片常常会变得千疮百孔。

不知不觉中，越来越多的外来物种[1]出现在变色牵牛的叶片上，

于是孔洞也越来越多。

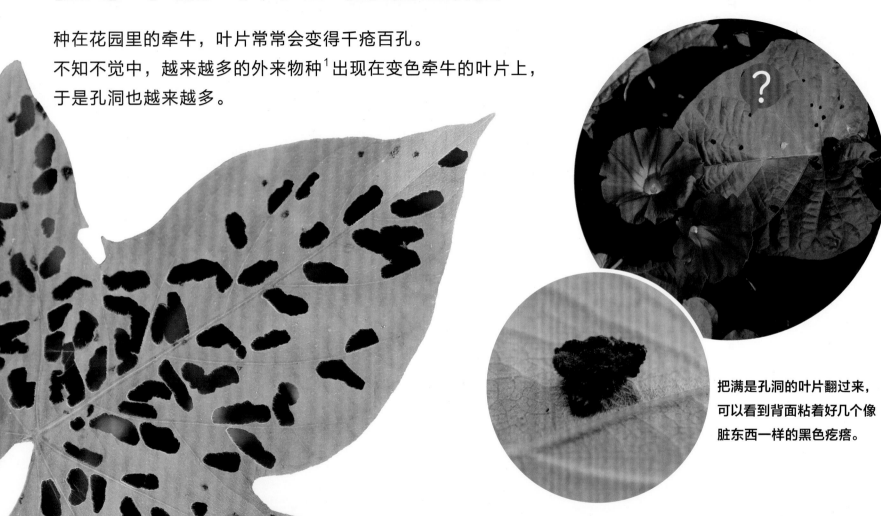

把满是孔洞的叶片翻过来，可以看到背面粘着好几个像脏东西一样的黑色疙瘩。

---

1 外来物种是指本来并不生长在这个地方，由于人类的活动而被带到这里的生物。

　变色牵牛原本是人们为了欣赏而栽培的，现在到处繁殖就成了野生植物。

附近农田里的红薯叶上也满是类似的孔洞。

大概因为红薯和牵牛都是旋花科的植物，所以能看到相同的虫痕吧。

那么，这究竟是谁干的呢？

虫痕的主人，来自南方的岛屿！

把变色牵牛和红薯的叶片啃得千疮百孔的，
正是甘薯腊龟甲的幼虫和成虫。

幼虫

成虫

成虫的脸。
它的足和触角正藏在身体下面。

黑色的幼虫总是待在叶片的背面，而成虫则经常在叶片的正面
被发现，它们多一动不动地黏在叶片上。

看起来像脏东西的黑疙瘩，是甘薯腊龟甲幼虫的蜕皮壳。
甘薯腊龟甲幼虫会在蜕皮壳上涂抹自己的粪便，
平时都将蜕皮壳背在身上。

蜕皮壳

幼虫会在每一次蜕皮后，把蜕下的皮积攒在尾部。

轻轻敲打叶片的话，幼虫会把尾巴伸长，把蜕皮壳翻卷起来。

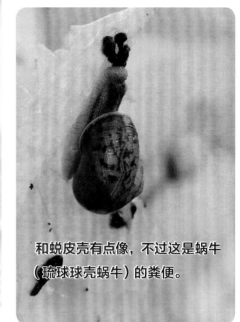

和蜕皮壳有点像，不过这是蜗牛（琉球球壳蜗牛）的粪便。

蛹也藏在幼虫的蜕皮壳下面。
从腹部一侧看，可以清晰地分辨出头和足等部位。

试着认真观察和记录一下幼虫的蜕皮次数吧。

触角 ← 眼
← 口
← 足

在叶片的背面发现虫卵。卵被浅褐色的膜覆盖着，紧紧地黏在叶片上。

甘薯腊龟甲的体长 6~8 毫米。曾经只存在于日本冲绳县以南的地区，现在正从九州向北扩散。

叶甲类昆虫的虫痕

叶甲所吃的植物种类基本是固定的。

每种叶甲啃食叶片的痕迹，都有各自的特征。

只要记住植物的种类，看到虫痕就能知道是哪种叶甲的"杰作"。

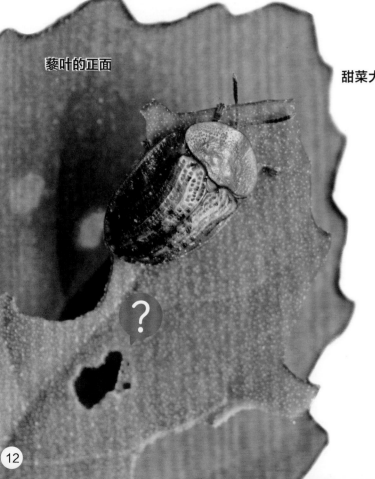

藜叶的正面

甜菜大龟甲常常把藜和杖藜的叶片啃得满是窟窿。

甜菜大龟甲幼虫的尾部也粘连着蜕皮壳。

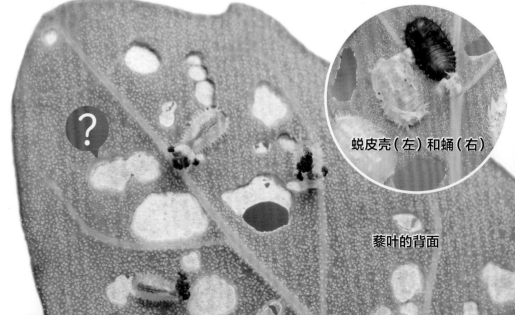

蜕皮壳（左）和蛹（右）

藜叶的背面

甘薯腊龟甲也吃柔毛打碗花的叶片。
金黄色的甘薯梳龟甲虫也会留下几乎
相同的虫痕。

在南方露珠草叶片背面的
二星龟金花虫（4月）。

会留下很相似的虫痕的
甘薯梳龟甲

二星龟金花虫喜欢啃食日本紫珠和南方露珠
草等叶片。
它们会把卵产在叶尖的背面。

二星龟金花虫的卵

甘薯腊龟甲在交尾。

山药的叶片千疮百孔，
简直像网一样。
这个虫痕的主人，
是拟变色细颈金花虫。

拟变色细颈金
花虫在交尾。

野梧桐的叶片上有虫痕!

野梧桐叶片的边缘被整齐地裁剪掉了，数量居然多达 75 处!

而且这些叶片是从同一棵树上收集到的。究竟是谁干的呢？！

是被谁吃掉了吗？还是……

只有这片叶子的正中央有个大洞，和其他的叶片不太一样。其他野梧桐叶片上的虫痕，是从边缘开始"剪裁"到正中央。

虫痕的主人是蓑蛾（大蓑蛾）。

卫矛的叶片上也有很多整齐的像剪裁过的虫痕。
仔细观察虫痕的形状，会发现有椭圆形和圆形2种形状。

山药的叶片上也有这样的虫痕（11月）。

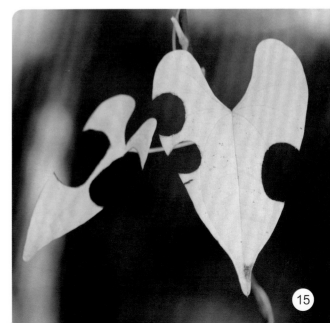

"剪裁高手"切叶蜂

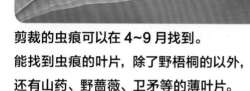

山药叶片

1

在麻栎的嫩叶上，
发现了紧紧抱住叶边的蜂。

剪裁的虫痕可以在 4~9 月找到。
能找到虫痕的叶片，除了野梧桐的以外，
还有山药、野蔷薇、卫矛等的薄叶片。

4

抱住叶片的边缘后，
蜂马上就用大颚开始"剪裁"。
这是比蜜蜂略小一些的蜂，叫月季切叶蜂。

2

3

开始"剪裁"后，切叶峰会把叶片卷到身体下面，在完全切断的瞬间，立马抱着叶片起飞。照片①～⑦展示的过程，仅仅用了6秒！

"剪裁"到一半便中断的虫痕。这是为什么呢？

月季切叶蜂的大颚无比锋利。

切叶蜂的工作

抱着叶片的月季切叶蜂飞进竹筒的孔里去了。

挂着的自来水软管的端口里，也是切叶蜂搬运叶片的场所。

这些孔的直径都在 1 厘米左右。看来它们是在筒里筑巢了。

切叶蜂会用触角触摸竹筒的入口，
好像是在确认巢的位置。

切叶蜂向外起飞时，速度快得简直就像冲出的子弹。

和蜜蜂一样，切叶蜂在秋英上采集花粉和花蜜。

它会把花粉收集到肚子下面的一簇绒毛上。

月季切叶蜂为什么要把叶片积攒到狭小的空洞里面呢？让我们来侦察看看吧！

切叶蜂了不起的本领

在自来水软管中看到切叶蜂的活动后的第五天，可以从洞口看到搬进去的叶片。

把自来水软管切开一看，里面塞了长约 7 厘米、用叶片卷成的卷状物。

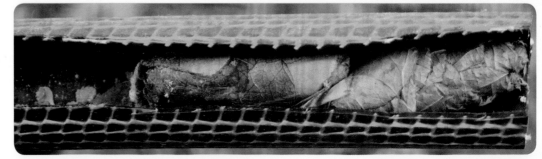

轻轻地拆开卷状物，发现了
2 个圆柱形的叶片胶囊。

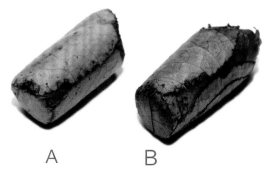

A　　　　B

进一步拆开叶片胶囊：
A 胶囊中拆出了 13 片
圆形叶片、11 片椭圆
形叶片；B 胶囊中则有
5 片圆形叶片、7 片椭
圆形叶片。

月季切叶蜂将剪裁下来的叶片，做成了育儿用的胶囊。

它们将椭圆形的叶片加工成长方形，作为胶囊的侧壁。圆形的叶片则作为两头的盖子。

竹筒和软管的隧道空间，正好作为胶囊的外框，提供外侧支撑。

1 在育儿用胶囊中，有花蜜和花粉混合成的胶体，卵就产在胶体的旁边。

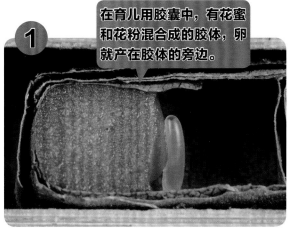

2 幼虫通过吃胶体得以成长。

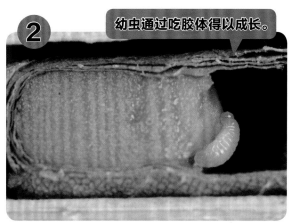

3 长大了的幼虫。仔细观察可以看到很多粪便。

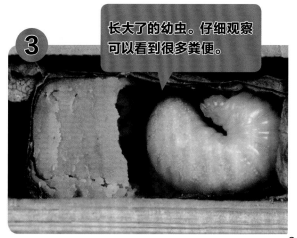

赤竹的叶片上有并排的孔洞！

在赤竹的叶片上排列着孔洞，并且每行孔洞都整齐地排在一条直线上。
这种虫痕，究竟是如何形成的呢？
虫痕的主人又是谁呢？

孔洞顺着叶脉，排列成行，同一排的孔洞大小略有不同。
有的孔洞是连着的，叶片则会在那个地方断开了。

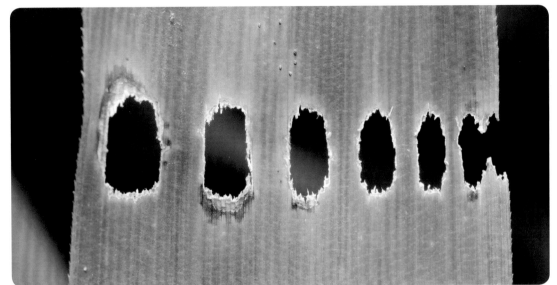

除了赤竹叶片以外，在芒、薏苡、美人蕉等植物的叶片上也能找到这样的排孔。

青苦竹

芒

薏苡

美人蕉

23

解开孔洞排成一行之谜!

我一直想要解开赤竹叶片上的排孔之谜，在我努力解谜的第四年的5月，终于发现了虫痕的真面目。

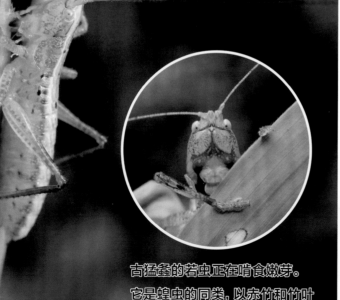

古猛螽的若虫正在啃食嫩芽。它是蝗虫的同类，以赤竹和竹叶为食。

嫩叶是紧紧地卷着的，而被啃食的正是这个地方。

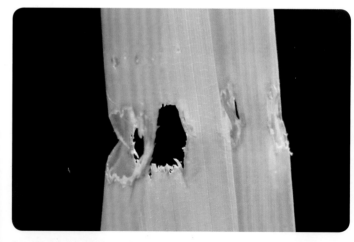

把卷着的嫩叶稍微展开，就能看到孔洞。在野外条件下，随着嫩叶生长，叶片会在几天后自然展开，也就出现了排孔状的虫痕。

试着用纸来做实验吧

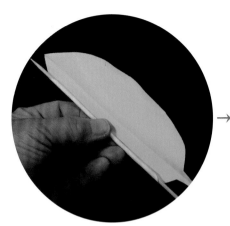

把折纸剪成叶片的形状，然后紧紧地卷到竹签上。

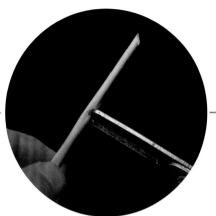

把剪刀当作虫子的嘴巴，从侧面剪开一个口子。

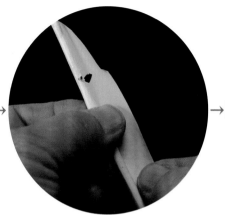

展开卷着的折纸（相当于赤竹的嫩芽）。

出现了和赤竹叶上的排孔相同的"虫痕"。

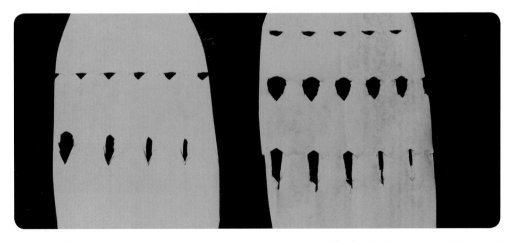

纸卷外侧的孔洞偏大，越靠近中心则越小。请思考一下其中的道理。

赤竹的叶片在逐渐展开的同时，还在生长。

古猛蚤不吃芒、美人蕉等的叶片，其上的虫痕肯定是别的昆虫干的。日本很多地区都没有古猛蚤，在那些地方，究竟是什么昆虫在啃食叶片呢？解谜还需继续。

25

在赤竹叶片上发现的虫痕①

赤竹的叶片上，不仅有排孔状的虫痕，还能发现其他各种各样的虫痕。

这两片是赤竹的叶片，上面都有发白的虫痕。

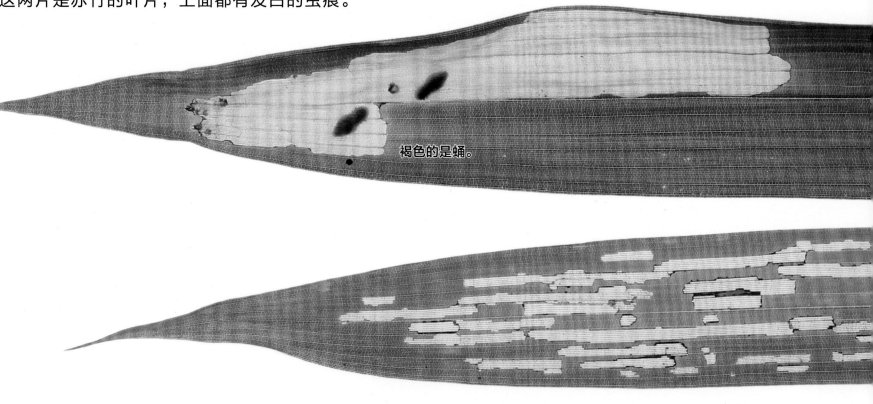

褐色的是蛹。

上面那片叶子的白色部分大范围地连在一起，下面那片则排列着很多白色的条纹。

这两种虫痕，分别是由不同的虫子啃食后留下的痕迹。

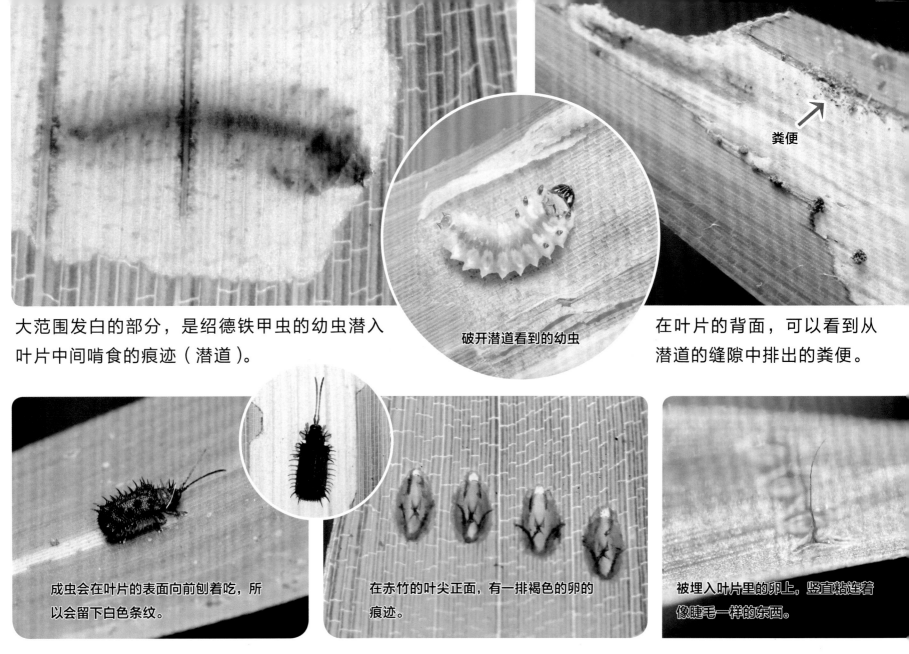

粪便

大范围发白的部分，是绍德铁甲虫的幼虫潜入叶片中间啃食的痕迹（潜道）。

破开潜道看到的幼虫

在叶片的背面，可以看到从潜道的缝隙中排出的粪便。

成虫会在叶片的表面向前刨着吃，所以会留下白色条纹。

在赤竹的叶尖正面，有一排褐色的卵的痕迹。

被埋入叶片里的卵上，竖直粘连着像睫毛一样的东西。

绍德铁甲虫在日本的近畿到四国以及九州等西部地区均有发现。

在赤竹叶片上发现的虫痕②

使赤竹的叶片整体发白的虫痕，一年之中也很常见。

绍德铁甲虫幼虫的啃食痕迹（潜道），绝对不至于扩展到这么大。

部分变白的叶片，

和绍德铁甲虫幼虫的潜道很相似，

但可以通过叶尖有无产卵的痕迹来区分。

被竹斑蛾幼虫啃食后的叶片会变白。
这些幼虫在叶片的背面刨皮似地啃食竹叶。

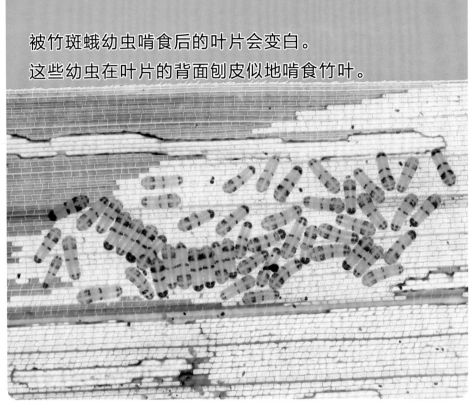

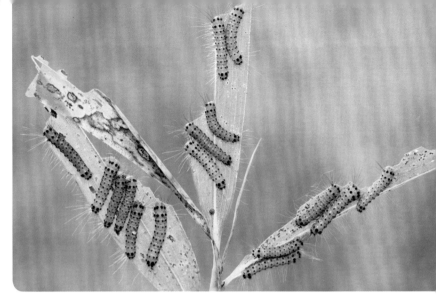

长大之后，成虫会从叶边开始"咔嚓咔嚓"地啃食，
甚至会把叶片完全啃光。
在幼虫的长毛根部长着毒刺，
接触到皮肤后会导致红肿发炎，要小心哦。

成虫会把白色的卵集中地产在赤竹叶片的背面。

在枯萎的竹子里发现的茧

竹斑蛾生活在日本各地，6~9月会出现2次成虫。幼虫在5~9月出现，会啃食赤竹或其他竹子的叶片。

麻栎的叶片上有地图形状的虫痕!

2017 年 9 月初，我在麻栎的叶片背面发现了形状有趣的东西。
其横向长约 14 毫米，形状就和日本四国地区的地图一样!

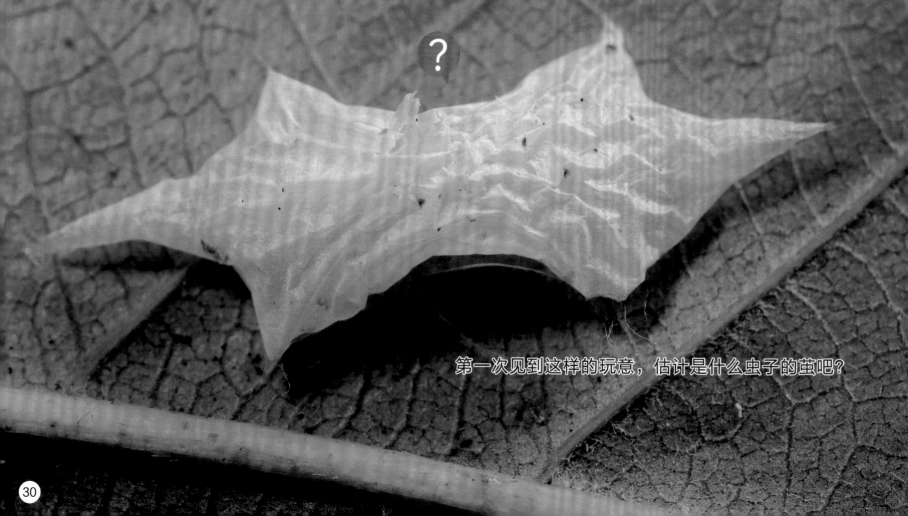

第一次见到这样的玩意，估计是什么虫子的茧吧?

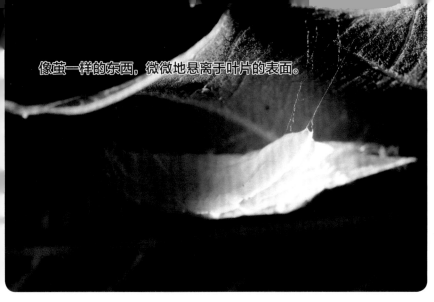

像茧一样的东西，微微地悬离于叶片的表面。

对着阳光看，里面似乎有东西。

把它们贴到衬纸上观察，发现有的在细长的尖头处，冒出了透明的蜕皮壳，还有的被褐色的污渍给弄脏了。

做了★标记的，是冒出了透明蜕皮壳的茧。

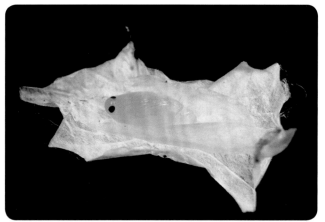

轻轻撕开茧的一侧，露出了被薄薄的皮包裹着的蛾蛹，可以看到它变黑了的眼睛。

它们会羽化出怎样的蛾呢？另外，还有哪些幼虫会编织这种形状有趣的茧？

破茧羽化的日本舞蛾

我注意到在茧的一边，有变黑的蛹正在用力向外探出头来。

终于要开始羽化啦。现在是 2017 年 9 月 9 日，上午 8 点 20 分。

1

它一动不动地待了近 20 分钟，终于渐渐地冲破蛹壳，开始了羽化。

2　上午 8 点 40 分

3　上午 8 点 47 分

身体从蛹壳中挣脱后，突然向茧走去。

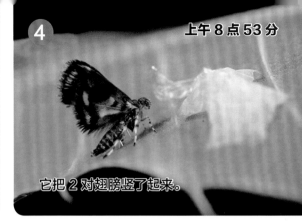

4　上午 8 点 53 分

它把 2 对翅膀竖了起来。

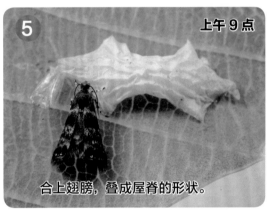

5　上午 9 点

合上翅膀，叠成屋脊的形状。

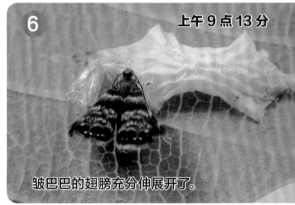

6　上午 9 点 13 分

皱巴巴的翅膀充分伸展开了。

这只羽化的蛾，就是经常看到的日本舞蛾！
"虫"如其名，它们有着在叶片上转圈圈的习性，
虽然体积娇小，但也十分惹人注目。

这样一来，我开始想看看编织茧的幼虫了……

7

赶上了！幼虫的虫痕制作现场

在茧的旁边发现了新的虫痕。
从叶片的正面看上去，像是浅褐色的斑痕。

叶片的背面被刨皮似地啃食过，
还留下了褐色的粪便。

在留下虫痕的叶片正面，有个小洞。

啊！幼虫白色的头从洞里探了出来。

淡奶油色的幼虫爬了出来，躲在一顶粘满粪便的丝网"帐篷"下面，当感觉到危险时，就会钻个洞逃到叶片正面上来。

9 月 10 日，幼虫开始在叶片的背面吐丝织茧。

1　上午 7 点 30 分

幼虫开始在身体的周围吐丝。

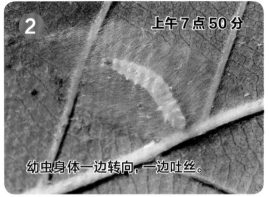

2　上午 7 点 50 分

幼虫身体一边转向，一边吐丝。

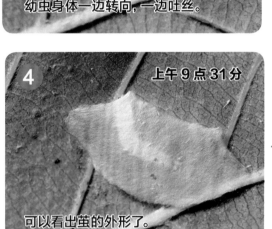

3　上午 8 点 44 分

丝织成的壁越来越厚。

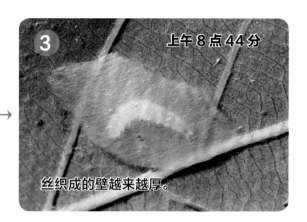

4　上午 9 点 31 分

可以看出茧的外形了。

5　中午 12 点 55 分

已经是清晰的四国地区的形状了。

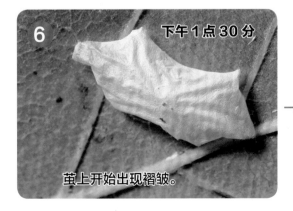

6　下午 1 点 30 分

茧上开始出现褶皱。

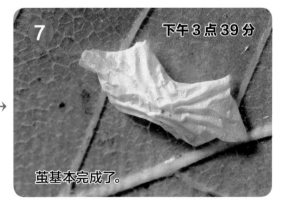

7　下午 3 点 39 分

茧基本完成了。

潜藏在丝网下面的青虫，果然就是日本舞娥的幼虫呀！

麻栎的叶片上，有折叠的虫痕！

这是从叶片的正中间对折的虫痕。

这种折叠的痕迹不仅麻栎的叶片上有，其他很多植物的叶片上也能找到。

?

对着阳光看，可以看到里面有某种影子。

在一根山药藤上，可以找到很多折叠的叶片。
其中，有 4 处切缝的叶片居多。

有切缝的鸡矢藤的叶片。
从叶片的正中间对折后合拢，变成了
一个袋子。

塑料袋捕获行动

麻栎叶片上的折叠虫痕。

将有虫痕的叶片，连着枝条一起套上塑料袋，然后在塑料袋里打开折叠的叶片。

瀛螽螽从里面冲了出来。

折叠的叶片，原来是它的藏身之处呀！

它们属于螽斯科，会先用大颚把叶片切开，然后用脚把叶片合拢。

日本优螽蟖的脸。其大颚的咬合力强，用手去抓的时候要小心。

吐出带有黏性的丝，把叶片黏上。

其藏身之处变成了日本马蜂的蜂后过冬的地方（11月）。

到处都有泥团样的虫痕!

在家门口的墙上发现了像日本东京巨蛋体育馆一样的泥团（10月）。

其尺寸约为：长72毫米，宽53毫米，高（厚）24毫米。

泥团粘得很牢固，无法用手从墙上剥下来。

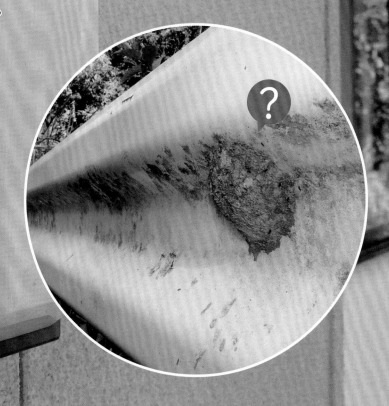

附近的护栏上也有泥团（10月）。

这是谁的巢呢？

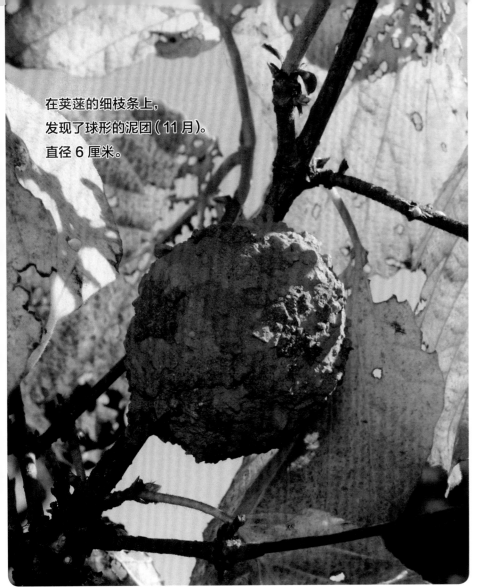

在荚蒾的细枝条上，
发现了球形的泥团（11 月）。
直径 6 厘米。

田边的水泥排水管的内壁上也有球形泥团（2 月）。

还发现了像网眼一样的泥痕（2 月）。

找到泥团的地方，都是不容易淋到雨的地方。

我家除了门口以外，还在外墙上发现了 3 处，都是在屋檐的下面。

泥团里面又是什么样子呢？

来看看泥团的里面吧。

泥团虽然整体是坚硬的，但表层的泥一碰就掉。得设法在不破坏泥团的情况下把它剥下来。

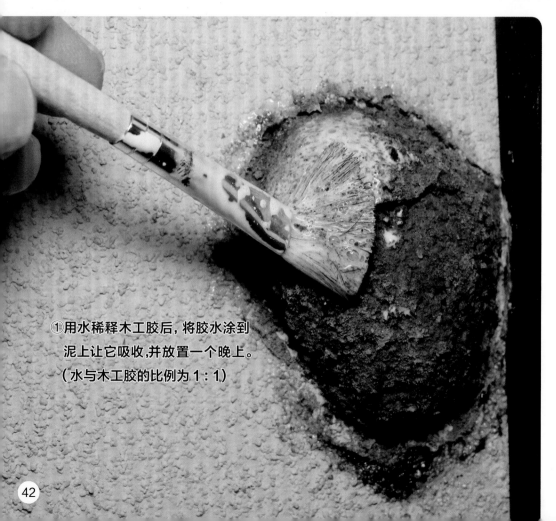

①用水稀释木工胶后，将胶水涂到
　泥上让它吸收，并放置一个晚上。
　（水与木工胶的比例为 1∶1）

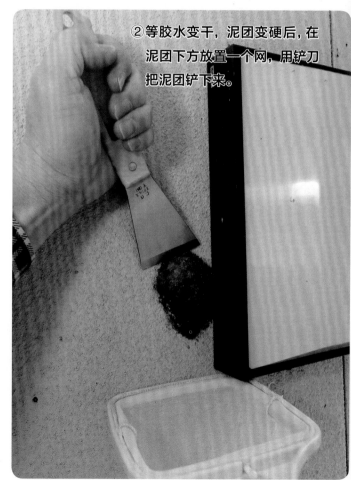

②等胶水变干，泥团变硬后，在
　泥团下方放置一个网，用铲刀
　把泥团铲下来。

冬天找到的泥团的内部。

内部分为 6 个"房间"，每个"房间"都有幼虫。

到了 5 月，幼虫变成了蛹。

从蛹的样子可以看出是蜂类。

泥团"房间"是空的。发生了什么呢？

3 个"房间"里挤满了干瘪的青虫尸体和小小的苍蝇的蛹。蜂的幼虫怎么了？

泥水匠高手 ——
褐胸泥壶蜂的育儿

9月，褐胸泥壶蜂会灵巧地将泥做成泥团。
泥团内部有多个育儿用的泥壶。

吸水后将水储存在肚子里，然后吐
到地面的土块上，并将其做成泥团。

小心翼翼地抱着泥团进行搬运。

把泥团抹到墙上，做成壶形的育儿巢。

做出酒壶造型的入口，育儿巢完工。

把带回来的青虫（5~7 条）从入口塞到育儿巢里。

它们会捕捉楝树上的褐锯尺蛾的幼虫，并将其麻醉后带回，作为幼虫的食物。

把尾部伸进去，在巢顶产卵。

用泥封住入口。

挨着筑 4~6 个育儿巢，然后在其外部用泥加固，泥团巢就做好了。

在筑巢过程中，有时也会有雄蜂过来进行交尾。

建造泥团形的巢大概需要花 1 周的时间。中途也会有寄蝇来产卵，或有寄生蜂中的大绿青蜂将产卵管刺入建好的巢中产卵。坚固的泥团形的巢也并非绝对安全。

樱花树叶片上的虫痕，它的主人去哪里了？

2017 年 5 月 30 日。
一棵樱花树的叶片几乎全都布满了褐色斑痕。

从背面观察叶片，斑痕薄得有点透明。
第一次见到这种虫痕。

在叶片背面不停地搜寻，接连发现了幼虫。
幼虫在叶片背面舔食着叶片。

过了 2 周左右再去看樱花树，
一条幼虫都没有了。
挖开樱花树根部的泥土，却什么也没发现。
幼虫们消失到哪里去了呢？

要找到成虫，什么时期合适呢？虫痕的线索，就在照片中哦！

后记

　　在第 47 页中登场的樱花树叶片上的"虫痕"，从幼虫的样子来看，推测是某种虫类留下的。要查种名，最好知道成虫的样子，不过这次没能找到成虫。事后有些后悔：要是在发现幼虫的时候，将它带回家饲养就好了！调查虫痕时，可以通过饲养获得更多的信息。昆虫的一生，从卵开始到长为成虫，多数很复杂，有的种类不一定能观察到生长的全过程。虫子的成长需要花费相当长的时日，有时它们还会躲藏到各种地方，导致很难在恰好的时机看到一种昆虫的卵、幼虫、蛹和成虫。

　　昆虫被天敌吃掉或被寄生而轻易死去，也是常有的事。即便如此，细心地观察虫痕，试着将时间向前推，或反过来对将来要发生的事进行推理，也许能找到昆虫复杂生活的线索。

　　相信大家已经注意到了，观察虫痕也需要植物方面的知识。自然环境中常见的植物名字和特征等，尽可能记得广博一些，这对昆虫的观察也是十分重要的。不仅在山野中，只要城市里稍有些花草树木，你也会很开心地去那里寻找虫痕。

　　虫痕不分季节，一年之中肯定可以在某个地方找到。根据"虫痕"进行推理，甚至会有机会偶遇到没见过的或怎么找也找不到的虫类。同时，还可以体验在头脑中想象昆虫们复杂的生活方式的乐趣。

　　第 47 页的虫痕线索是成虫产的卵，请仔细看照片的中央，成虫是什么时候来产卵的呢？

新开孝

昆虫学家，昆虫摄影家。1958 年出生于日本爱媛县，毕业于日本国立爱媛大学农业部昆虫学专业。毕业后到东京，当过教育电影的导演助手等，后来成为自由昆虫摄影家，2007 年离开东京，移居宫崎县三股町。善于挖掘昆虫不可思议的生态和形态，同时还关注各种各样的动植物，除了具有昆虫摄影家独特的拍摄视角外，还擅长观察和发掘生物之间的关联。著有《一本通！凤蝶》《发现虫瘿》《后山的天蚕蛾——天蚕蛾纺织的绿色宝藏》《生啦！椿象》《虫痕图鉴》等图书。

图书在版编目（CIP）数据

虫子的痕迹 /（日）新开孝著；光合作用译 . —长沙：湖南科学技术出版社，2021.12
（自然侦探团）
ISBN 978-7-5710-0961-8

Ⅰ .①虫⋯ Ⅱ .①新⋯②光⋯ Ⅲ .①昆虫—少儿读物 Ⅳ .① Q96-49

中国版本图书馆 CIP 数据核字（2021）第 076339 号

MUSHI NO SHIWAZA TANTEIDAN
© TAKASHI SHINKAI 2018
Originally published in Japan in 2018 by SHONEN SHASHIN SHIMBUNSHA, INC.
Chinese (Simplified Character only) translation rights arranged with
SHONEN SHASHIN SHIMBUNSHA, INC.
through TOHAN CORPORATION, TOKYO.

中文简体字版由日本株式会社少年写真新闻社独家授权

CHONGZI DE HENJI

虫子的痕迹

著　　者：［日］新开孝
译　　者：光合作用
出 版 人：潘晓山
责任编辑：李　霞 姜　岚 杨　旻
封面设计：有象文化
责任美编：谢　颖
出版发行：湖南科学技术出版社
社　　址：长沙市湘雅路 276 号
网　　址：http://www.hnstp.com
湖南科学技术出版社天猫旗舰店网址：
　　　　　http://hnkjcbs.tmall.com
邮购联系：本社直销科 0731-84375808

印　　刷：长沙市雅高彩印有限公司
　　　　　（印装质量问题请直接与本厂联系）
厂　　址：长沙市开福区中青路1255号
邮　　编：410153
版　　次：2021 年 12 月第 1 版
印　　次：2021 年 12 月第 1 次印刷
开　　本：787mm×1092mm　1/16
印　　张：3.5
字　　数：43 千字
书　　号：ISBN 978-7-5710-0961-8
定　　价：38.00 元
（版权所有·翻印必究）

这些是团长的观察工具！

放大镜的倍率为6~8倍，视野大的会比较好用。

检查镜在观察高处或低矮的叶片背面时会很有用。

略大一点的塑料容器，用于把挖起的土壤摊开来观察。

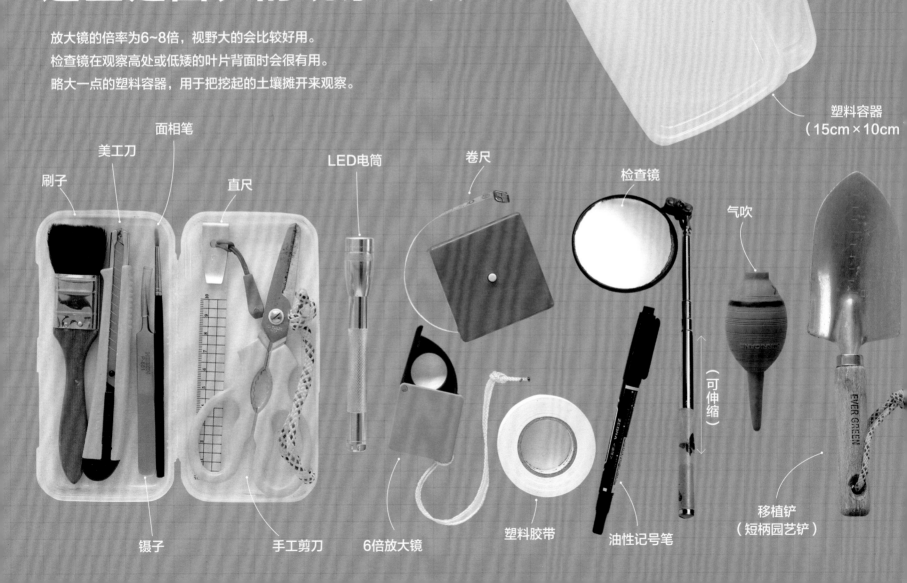

塑料容器
（15cm×10cm）

面相笔

美工刀

LED电筒

卷尺

检查镜

气吹

刷子

直尺

（可伸缩）

镊子

手工剪刀

6倍放大镜

塑料胶带

油性记号笔

移植铲
（短柄园艺铲）

观察的过程

用面相笔仔细地清除粪便。

用放大镜调查虫痕。

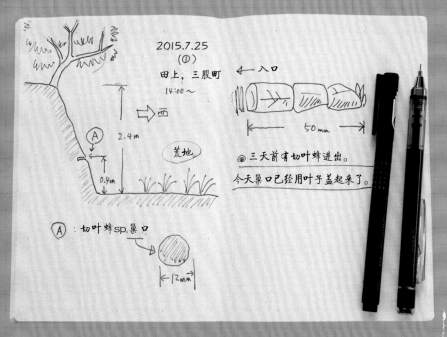

用来把虫痕或昆虫带回去的容器

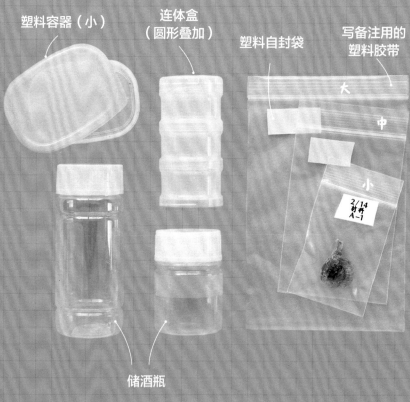

塑料容器（小）

连体盒（圆形叠加）

塑料自封袋

写备注用的塑料胶带

储酒瓶

要将发现虫痕的地点、日期、详细情况等做好记录，
语句要写得简洁，不管是谁看了都能明白。
不仅仅是照片，如果还能画些速写便可以加深理解。
如果再把感想等也记下来，那就更加记忆深刻。